RINO DETECTIVE

Y UN EXTRAÑO MUY EXTRAÑO

edebé

© 2014 del texto, Pilar Lozano Carbayo
© 2014 del texto, Alejandro Rodríguez
© 2014 de la ilustración, Claudia Ranucci

© Edición cast.: EDEBÉ, 2014
Paseo de San Juan Bosco, 62
08017 Barcelona
www.edebe.com

Atención al cliente 902 44 44 41
contacta@edebe.net

Dirección editorial: Reina Duarte
Editora: Elena Valencia
Gestión editorial: Elisenda Vergés-Bó
Diseño de la colección: Book & Look

Primera edición, marzo 2014

ISBN 978-84-683-1186-9
Depósito Legal: B. 496-2014
Impreso en España

RINO
DETECTIVE
Y UN EXTRAÑO MUY EXTRAÑO

Pilar Lozano Carbayo
Alejandro Rodríguez

ILUSTRACIONES DE CLAUDIA RANUCCI

edebé

RINO DETECTIVE

Vivo en el zoo, un lugar aparentemente muy tranquilo…, aparentemente, porque ¡siempre hay algún caso misterioso que resolver! Y entre caso y caso, me dedico a mis actividades preferidas: cuidar de mis magníficos **CUERNOS**, jugar al ajedrez, meditar y, sobre todo, ¡meter las patitas en mi estupenda **CHARCA** bien embarrada! ¡No hay nada como un buen baño!

PACO PAPAGAYO

Soy ayudante del detective Rino, porque, si no fuera por mí, ¿cómo iba a investigar Rino? Es listo, pero es taaaaan lentooooo. Yo soy **RAPIDÍSIMO** y me puedo meter sin que me vean en cualquier agujero. Miro, escucho, espío… Sí, vale, soy un poco **DESPISTADO** y, sí, también soy muy **NERVIOSO**, pero es que me altero porque ¡es tan emocionante ser detective!

CAPÍTULO 1

REVUELO NOCTURNO

Era una fría noche de invierno. El viento gélido azotaba las jaulas y verjas del zoo, emitiendo un sonido inquietante.

Yo estaba medio dormido, tan a gustito, con las patitas sumergidas en mi calentito charco de lodo. El último baño del día…, ¡mmmm! ¡mmmm!

—¿Lo has visto? —susurró una voz algo lejana.

Mi agudo oído no pasó por alto el tono **MISTERIOSO** de la conversación.

—No, no, yo no lo he visto, pero mi amigo el oso hormiguero lo ha visto y no te puedes hacer una idea. Dice que… —no llegué a escuchar el resto de la frase, porque el ulular del viento la silenció.

Abrí lentamente un solo ojo. A mi alrededor todo eran oscuras sombras. Entre ellas, acerté a vislumbrar el brillante plumaje de Paco Papagayo, mi ayudante. Estaba apoyado en una ramita de un árbol del que colgaba una placa en la que se leía:

**Rino detective
y Paco su ayudante
resuelven casos
al instante... o casi**

—Groaarrrrr —roncaba ruidosamente Paco.

Me pareció que era el único sonido que quedaba en la noche.

«Bueno, pues aparentemente hay normalidad, falsa alarma», me dije, cerrando de nuevo los ojos.

Empezaba ya a soñar, cuando me sobresaltó un alarido de la jirafa **JOSEFINA**:

—¡No me digaaaas! —se oyó que gritaba, retumbando por todo el zoo.

Giré la cabeza y vi a Jimmy, el colibrí, salir de su oreja.

«¿Qué le habría contado para que gritase la jirafa de ese modo?».

Mi intuición de detective me hacía pensar en un nuevo misterio en el zoo. Iba a comentárselo a Paco para que fuera a investigar, cuando vi cómo se acercaba un amenazante peligro.

—¡**UN EXTRAÑO**, un extrañoooooo! —gritaba Ho Chi Min, el cerdito vietnamita, mientras corría a toda velocidad.

Venía de frente, completamente desbocado.

—¡Ayyy, que no sé frenaaaarrr! ¡Que me doyyyyy! ¡Rino, apartaaaa!

Lo iba a hacer.

—¡Pummmm!

Vale, soy algo lento. La cara de Ho Chi Min se había estampado contra mi preciado lomo.

—¡Ay, Rinooo! Me duele mucho, mucho, muchooo… —Ho Chi Min no paraba de gritar.

Como resultado del choque, tenía el hocico algo aplastado. ¿O es que él es así?

—Para de quejarte, hombre, y dime qué ocurre —le dije.

—No hace falta que te lo cuente él —interrumpió Paco—. Acaban de llamar a la asamblea a todos los animales del zoo. Mira hacia allí.

Y Paco torció su precioso pico, señalando la avenida principal del zoo.

La luz de las farolas iluminaba una larga fila de animales, dirigiéndose hacia el auditorio. Una impresionante procesión nocturna, mientras los vigilantes dormían en la garita de la entrada.

CAPÍTULO 2

LA ASAMBLEA

Me gusta hacer las cosas despacio. Disfrutar de mi tiempo. Pasear, no correr… Así que, cuando llegué yo al auditorio, las gradas estaban completamente abarrotadas de animales de todo tipo.

Sobre los murmullos y el cuchicheo generalizado, pude oír insistentemente las palabras «raro», «extraño», «peligro», «diferente». ¿Qué habría ocurrido?

Con Paco sentado sobre mi dolorido lomo, me acomodé en la grada más alta, con tan mala suerte que justo delante se colocó la jirafa **JOSEFINA**, con su laaaargo cuello.

A mi derecha se sentó la mofeta. ¡Lo que faltaba! La jirafa no me dejaba ver y la mofeta me mareaba con su apestoso perfume. Iba a cambiar de asiento, cuando el elefante Vicente hizo sonar su **TROMPA** con estridencia:

—¡Priuuuu! ¡Todos a sentarseee, empieza la asambleaaa!

Un silencio expectante acabó con los cuchicheos.

—Esta asamblea, la hemos convocado ante un gravísimo suceso que ha ocurrido esta tarde —dijo el elefante Vicente mirando a su alrededor, intentando localizar a alguien.

No vio lo que buscaba y siguió con inseguridad.

—Bueno, pues ese suceso es, bueno, lo que ha ocurrido es…, en fin, algo extraño… No sé. ¿Dónde te has metido? —preguntó buscando con la vista entre las gradas.

Una voz surgió del estrado del recinto. Era la serpiente **SIBILINA**.

—Graciasss, elefante, aquí essstoy. Pues sssí, amigosss. Yo osss he convocado. Nuessstro querido zoo tiene un peligro peligrossso. Un extraño entre nosotrosss…

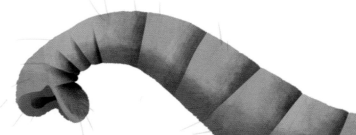

¿De quién estaría hablando? Alcé la vista sobre las gradas. ¡Qué variedad! Altos, pequeños, gordos, cuellicortos, rayados, coloridos, negros, enanos, barrigudos, sordos, saltarines, rastreadores, carnívoros, herbívoros, marinos, voladores… Hasta ese momento no había reparado en lo diferentes que éramos.

Me pareció que en nuestra rareza, en cierto modo éramos hermosos todos, cada uno a su manera.

La voz silbante de **SIBILINA** interrumpió mis pensamientos.

—Ssssilencio… Lo que ha ocurrido esta tarde es que, en fin…,¡tenemos un nuevo inquilino!

—¡Bravo! ¡Bravo! —se atrevió a a gritar el mono Lucas.

—No. Lucasss, no…, bravo, no. Porque este nuevo inquilino… puede perturbar la paz de la que ssssiempre hemosss gozado.

Un «¡ohhh!» atemorizado se propagó por las gradas.

—Ssssí, queridosss amigosss. Essss un día trissste para nossotrosss. Porque nossotrosss ssomoss una comunidad en la que todosss noss llevamosss bien, nosss ayudamosss, noss queremossss... ¿Qué ha venido a hacer aquí él? ¿Qué quiere de essste zoo? No esss bienvenido.

Abrió los ojos y, con una sonrisa maligna, dijo:

—Ademásss, muchosss ya lo habéisss vissssto. No es como nosssotrosss... Esss un animal... —y tras una pausa larga y medida, soltó—: **RARO** raro, raríssssimo.

—¡Es cierto! Yo lo he visto ¡Es rarísimo! —rugió desde la primera fila una pantera.

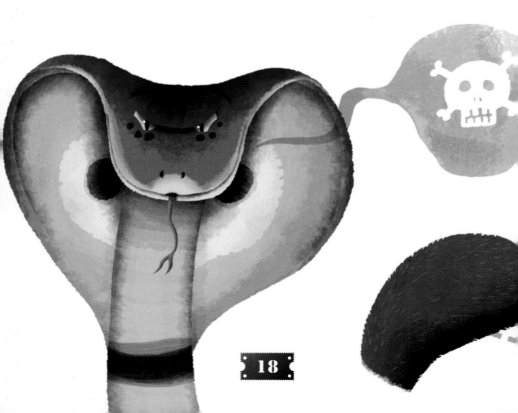

A partir de ese momento, se sucedieron los gritos de un lado y otro de las gradas:

—¡Tiene pico! ¡Pero no es un pato! —gritó uno.

—¡Ni un ave!

—¡Pone huevos y no tiene plumas!

—¡Ni sabe volar!

—¡Ni es una gallina!

—¡Tiene pelo!

—¡Las patas son de nutria!

—¡Y la cola de castor!

—¡Pero no es una nutria!

—¡Ni un castor!

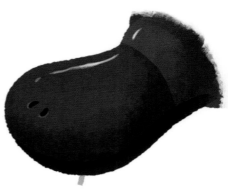

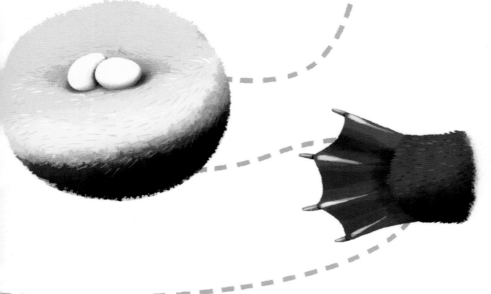

Sibilina adoptó una actitud trágica.

—Ssssí, amigosssss. Todo essso es cierto. Decísss verdadesss amargasss. Un animal asssí ¡es un monsssstruo! ¿Qué ssserá de nosssotrossss? —y ladeó la cabeza en un gesto de tristeza profunda.

—Un momento, Sibilina —dijo Martina la delfina—, sí es verdad todo eso, el animal es raro, pero eso no significa que sea malo ni monstruoso. Solo es **DIFERENTE**.

—Claro que sí —intervino el pingüino Carolo—, podrá contarnos cosas extraordinarias. ¡Seguro que viene de un mundo distinto y fascinante!

—¡Ay! ¡Martina, Carolo! Sssoiss jóvenesss y confiadosss. ¡Ojalá fuera assssí! Yo ssssolo avissso. Esss un humilde avissso para que todosss esstemos alerta. Yo ssssolo quiero lo mejor para nuessstro zoo. ¡Ay, esssspero equivocarme, pero tengo malas vibracionessss!

Y diciendo esto, Sibilina movió el cuerpo de una manera que me sobrecogió.

CAPÍTULO 3

LA PANTERA HERIDA

Pasé una noche de **PESADILLAS**.

Soñé con un elefante que tenía **2** trompas y ponía huevos. Un cocodrilo que lloraba sin parar, porque no sabía nadar y olía como una mofeta. ¡Y lo peor! Soñé que yo mismo era un rinoceronte sin cuernos que se alimentaba de carne. ¡Qué asco! Me desperté sobresaltado y sudoroso.

—¡Rino, Rino, corre! ¡La pantera tiene el morro ensangrentado!

Quien venía a gritos a perturbar mi tranquilidad era el avestruz. Las aves siempre me han parecido animales inquietos. ¿Por qué estaba tan exaltado? Los accidentes son muy comunes en el zoo.

—¿A qué tanta prisa? —resoplé con paciencia—:Y si está herida, ¿por qué no llamas al veterinario?

—No, Rino, tienes que ir tú. Sibilina me ha mandado a buscarte.

Y bajando la voz, en tono misterioso, me dijo:

—Es que **NO** ha sido un accidente. Verás, ¡parece que ha sido provocado por él!

—¿Un accidente provocado por él? ¿Quién es él?

—¡Él! ¡El **RARO**! ¿Es que no estuviste en la asamblea ayer?

—Sí, sí, estuve…, ¡y qué pesadillas he tenido! Verás, primero soñé que…

—Luego, luego… Ahora tienes que acompañarme, Rino. Sibilina quiere contratarte para que investigues —me interrumpió el avestruz.

Iniciamos el camino hacia la casa de la pantera, pero el avestruz no tenía paciencia. Más que caminar **¡VOLABA!** Y precisamente a mí, ya lo he dicho, lo que me hace feliz es recrearme en el paisaje, saludar a los amigos…

—¡Avestruz! ¡Espérameeee! —grité.

Había desaparecido de mi vista. ¿Dónde se suponía que me esperaba Sibilina?

La respuesta me la dio ella misma deslizándose por mi lomo hasta mi oído. Un escalofrío recorrió mi espalda. ¿De dónde había surgido?

—Rino, esstán sucediendo cossas extrañasss. Ya lo dije ayer. Ven conmigo y verássss lo que le ha ocurrido a la pantera. Es horrorossso…

Y con una mirada penetrante Sibilina añadió:

—Tienesss que invesstigar, Rino…

Sí, parecía un caso muy inquietante.

La pantera estaba tumbada en el suelo, junto a un pequeñísimo charco de sangre, quejándose:

—¡Ayyyy, ayyy!

—¿Qué te ha ocurrido, pantera? —le pregunté.

—¡Ayyyy…!

—¿Te han golpeado? Tienes la nariz destrozada.

—Ayyy…, Rino. Estaba durmiendo, cuando de repente un ruido me despertó. Me pareció que era el grito de una de mis crías. Sin pensarlo me incorporé lanzándome hacia la cueva donde las tengo escondidas y ZAAAAAS.

Sobresaltado di un respingo hacia atrás:

—¿Zaaaaas?

—Sí, zaaaaas. Alguien había puesto un cristal en el hueco de entrada a la cueva y me di contra él.

Sibilina, que había estado callada, se interpuso entre los dos y mirándome a los ojos me dijo:

—Esss un atentado, Rino. ¿Qué hace un cristal tapando un hueco? Alguien quería hacer daño a la pantera…, sssseguramente ha sido él… Tú me entiendesss.

—Sibilina, no hay que señalar culpables, sin tener pruebas —le dije muy serio.

Saqué mi lupa y me dispuse a examinar el cristal. Por arriba, por abajo, por los laterales, por delante y por detrás. Mi lupa recorrió el cristal completo. Ni una huella. Alguien se había preocupado de dejarlo limpio. Ese alguien era el **CULPABLE**. Y yo tenía que buscarlo.

—Que te mejores, pantera. Yo me retiro a pensar —les informé.

Y me di media vuelta. De nuevo Sibilina se interpuso en mi camino:

—¿Y qué es lo que hay que pensar, Rino? ¿Es que no está claro quién ha sido? Hasssta que él no llegó, no había habido ni un atentado. Un sssolo día y mira… la pantera herida. Deberíasss detenerlo y entregarlo como culpable. Merece ser expulsssado…, o mássss.

Sibilina levantó las cejas sugiriendo, sin palabras, castigos mayores. ¿Qué puede ser peor que expulsar a un animal del zoo? Un nuevo escalofrío me recorrió el cuerpo.

—¿Y si no ha sido él? —protesté—. Todo el mundo es inocente, hasta que no se demuestra lo contrario. Ese es un principio que debemos respetar. Viene en el manual.

—¿Qué manual, Rino?

—El *Manual de detectives para animales*. Un libro magnífico. En la página **112** lo dice claramente:

«Un detective no debe jamás acusar a alguien sin pruebas.»

—Asssí que necesitas pruebas, ¿eh? Las tendrásssss, Rino, las tendrásss —dijo Sibilina.

Y desapareció como había venido. De manera misteriosa.

CAPÍTULO 4

EXTRAÑOS ATENTADOS

En mi parcela me esperaba Paco Papagayo. Me entregó un folio escrito y se tumbó en la hierba diciendo que estaba agotado. Me dispuse a leerlo:

11.45: La pantera

12.15: El oso panda

12.45: El oso hormiguero

13.15: Me vuelvo agotado

—¿Qué es esto Paco? —le pregunté.

—Pues que no es un caso, sino muchos.

—Pero ¿qué significa este listado de animales, y «me vuelvo agotado»?

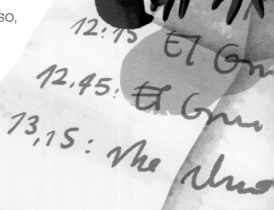

—Nada, que me he venido a verte. ¡Ay, Rino! ¡Qué cansancio! No he parado de trabajar.

Con paciencia repetí mi pregunta:

—Ya he entendido el «me vuelvo agotado», pero ¿qué es esto? Me refiero a la lista de animales. ¡Parece el horario de visita del veterinario!

—¡El veterinario, justo eso es lo que ha pasado! Que el veterinario ha tenido que ir a visitarlos. ¡Todos necesitaban sus servicios! Y en algún caso ¡había hasta sangre!

Noté cómo un sofoco subía desde mis patas traseras hasta la cara, acalorándome. Y es que la manera de explicarse de Paco Papagayo es casi siempre complicada. Bastó un resoplido sobre su cara para que reaccionase:

—¡Ay!, ¡ay! Rino, ya te cuento, pero no vuelvas a resoplarme, ¡me puedes desplumar! —dijo, incorporándose de inmediato.

—Pues explícate con claridad. Y sin irte por las ramas.

Paco levantó la vista a las ramas de la gran encina que tengo en mi parcela.

—Digo irte por las ramas en sentido figurado. Que vayas al grano.

Entonces Paco empezó a mirar por el suelo, quizás buscando granos de comida. Estaba a punto de acabar con mi paciencia.

—¡Que te expliques, por favor! —dije muy serio.

—¡Claro! ¿Es eso lo que quieres? ¡Habérmelo dicho antes!

¿No es para desesperarse con este ayudante?

El caso es que me contó que Sibilina, después de que yo me volviera de visitar a la pantera, había ido en su busca. Y uno a uno fue acompañándole a visitar a los animales de la lista. Sibilina dijo que todos habían sido víctimas de un atentado, según el horario que me había escrito en el papel.

—Pero ¿qué les ha pasado?

—De todo. La pantera se dio contra un cristal. Al oso panda se le ha caído encima un bote de pintura negra… y, la verdad, ya no parece un panda…, porque lo más bonito de los pandas para mi gusto son esas manchas…

—Paco, por favor, ¿puedes centrarte? —le interrumpí.

Y Paco se cambió de posición, colocándose más al centro de la parcela. Una mirada enfadada de mis miopes ojos bastó.

—¡Ah! Te refieres a que me centre en el caso, ¿no?

A veces pienso que le gusta ponerme nervioso. Hice como si no me afectara. No tuvo más remedio que seguir su relato:

—Media hora más tarde, Sibilina me avisó para que fuera a ver al oso hormiguero y ¡cómo estaba el pobre!

—¿Cómo estaba?

—Con la lengua fuera.

—¿Y qué hay de extraño? ¡Siempre come con la lengua fuera!

En ese momento me di cuenta de que mis nervios no iban a poder resistir más a Paco Papagayo.

—Déjalo, vámonos. Necesito investigar sobre el terreno. Vamos a hacer el recorrido juntos. Cuatro ojos ven más que dos.

«Sobre todo si se trata de los míos», pensé. Y me dispuse a salir con Paco.

Pues sí. Había algo extraño en que Rodolfo, el oso hormiguero, estuviera con la lengua fuera.

—¿Cómo es posible? —le pregunté.

—Inexplicable, Rino —me contestó con lágrimas en los ojos—. Mira, mira cómo tengo la lengua.

—¡En mi vida había visto una lengua tan **ROJA** e hinchada!

—¡Claro que no! ¿O es que habías visto alguna vez una lengua atacada por cientos de avispas?

—No, la verdad es que no. Pero ¡tampoco había visto un hormiguero en el que viven avispas! Esto es **RARO**, ¡rarísimo!

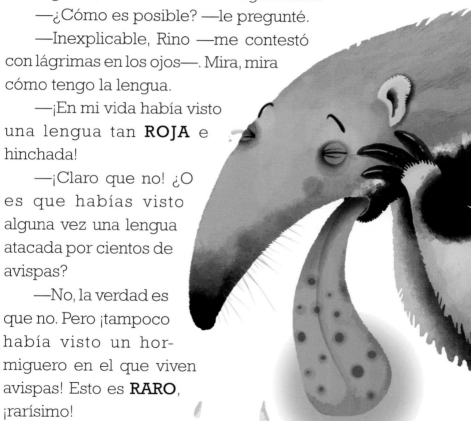

—Rino, han metido las avispas en mi hormiguero. Alguien quería hacerme daño.

—¿Se te ocurre quién? ¿Tienes algún enemigo?

—¡No! —respondió enfadado—. Me gusta llevarme bien con todos mis veci…, bueno, quizás no les gusto mucho a las hormigas…, pero entiéndelo, Rino, ¡tengo que comer!

—Las hormigas no pueden ser… ¡Nadie llenaría su propia casa de avispas!

El siguiente era el oso panda. Estaba penoso. Tenía razón Paco. Ya no parecía un oso panda, sino el oso negro más negro que la noche oscura. Se estaba frotando todo el cuerpo con un disolvente de pintura.

—¿Qué ha ocurrido?

—Del cielo, del mismísimo cielo, Rino, ha caído ese gran bote de pintura negra sobre mi cuerpo.

—¿Del cielo? —repetí alzando la cabeza. Allí mismo un magnífico pino centenario daba sombra al jardín—. ¿No habrá sido desde el árbol?

—Del árbol o del cielo, ¡qué más da!

Bien se veía que no era detective. Porque desde el cielo tenía que haberlo lanzado un pájaro…, pero desde el árbol, podía haber sido cualquier animal trepador, ¿no? Examiné el bote de pintura. Lo que me imaginaba. Ni una huella.

—Todo esto es **EXTRAÑO** —murmuré—, muy extraño.

No fue Paco, mi ayudante, el que me contestó. Fue una voz susurrante la que dijo:

—¿Qué essss extraño, Rino?

Era ella de nuevo.

—Hola, Sibilina. Pues ahora que me lo preguntas… te diré que lo que me parece extraño es que seas capaz de aparecer y desaparecer sin que nadie se dé cuenta.

—No essss extraño, Rino, asssí somos las serpientesss.

—Ya, ya…, pero hay algo extraño en todo esto.

—Esso esss, Rino, muy extraño. **EXTRAÑO** y ssosspechossso, Rino. Él es el único sssossspechossso.

Se refería al nuevo inquilino.

Sí, sin duda había llegado el momento de visitarlo.

CAPÍTULO 5

ORNITO... RRINCO

Un gran cartel de madera anunciaba su presencia:

Conoce a uno de los mamíferos más raros.

Me fijé detenidamente.

No era más grande que un pequeño perrito y tenía una cola peluda y aplanada. Dormía plácidamente semiescondido en una madriguera a los pies de un estanque.

Tenía patas palmeadas y un pico oscuro, como los de un pato. Emitía unos gruñidos o ronquidos entrecortados y, bajo su cuerpo, pude observar que sobresalía el perfil blanco de unos huevos. ¿Un mamífero incubando huevos? ¿Con pico y patas palmeadas?

Intenté leer en voz alta el nombre de nuestro vecino:

—Ornito… ronitro… tronircorrinco… orquitoninco.
También parecía raro el nombre.

—**¡ORNITORRINCO!** —apuntó con agresividad una voz conocida a mi espalda—. Esse ess sssu nombre.

—¿Tú otra vez? ¿Qué haces aquí, Sibilina?

La serpiente tenía un aspecto horrible. Sus escamas parecían estar a punto de desprenderse, como si estuviera enfundada en un traje sucio, viejo y transparente.

—Pobre Sibilina, ¿qué te ha pasado?

—Ahora ya tienesss un tessstigo directo de la acción de esste sser. ¡Mira lo que me ha hecho! —gritó.

El agudo chillido despertó al ornitorrinco. Tenía unos ojos diminutos y asustadizos. Al vernos, se lanzó al agua y desapareció.

—¿Sabes bucear? —le pregunté a Sibilina.

—¡Soy una cobra! No una vulgar ssserpiente de agua. ¡Yo no buceo!

—Yo tampoco. Entonces, esperaremos a que salga.

Y me tumbé. Los detectives somos gente con **PACIENCIA**, pero Sibilina al poco rato decidió marcharse.

—Hay asamblea a las diez de la noche. Essspero que traigasss al culpable —me dijo.

Y desapareció.

Al poco rato una extraña cabeza se asomaba por encima del agua. Abrí un ojo sin moverme. Estaba comiéndose con su pico de pato un cangrejo adornado con gusanos.

«El animal es raro, hay que reconocerlo», pensé.

Acabó su comida. Se arrastró por la tierra y, acercándose, simplemente me dijo:

—Odio este zoo.

—¿Odias el zoo? ¿Por eso haces daño a los animales? ¡Eres el culpable! —grité muy muy enfadado. Y me lancé sobre él para atraparlo.

CAPÍTULO 6

LA PIEL DE SIBILINA

Cuando llegamos a la asamblea, Sibilina tenía la palabra:

—Ya lo avisssé. Pero no me hicisssteis casso. He sssido víctima del forassstero. Mi piel brillante ha quedado reducida a esssta funda crissstalina desstartalada. Fue él quien lo hizo.

—¡Ohhhhh! —todos los animales rugieron, maullaron, relincharon, piaron con indignación.

—¡Expulsémoslo! No tiene derecho a vivir aquí. No es como nosotros.

—Que se vaya con los suyos.

Gritaban con rabia y gesticulaban con violencia.

—Esperad, compañeros —chillé—. Escuchémoslo. Hasta los culpables más culpables tienen derecho a defenderse. ¿Qué sabes de los últimos acontecimientos criminales que han ocurrido en el zoo? Habla, ronito…, digo ortino… norritocrinco.

—¡Ornitorrinco! —apuntó Sibilina.

—Eso, ornitorrinco. Di.

Hubo algún bramido de protesta, pero en un momento, las voces se apaciguaron. La mirada de odio de la asamblea entera se concentró sobre aquel animal menudo, tímido, que se agobiaba sobre el estrado.

Una voz tímida, sin apenas levantar la mirada del suelo, surgió del extraño pico:

—De lo que me acusáis no sé nada. No soy culpable.

—¡**MIENTESSS!** ¡Animal raro! Vete con losss de tu essspecie, ornitorrinco, ¡monsssstruo!

—¿Monstruo? —la voz adquirió de pronto un vigor inesperado.

Abrió los ojos por completo y elevó la cabeza. Observó, girándose, a toda la audiencia.

—¿Monstruo yo? Yo soy un ornitorrinco… ¿Acaso un ornitorrinco no tiene ojos como vosotros? ¿No tiene un ornitorrinco garras, órganos, sentidos, penas, pasiones como todos los animales?…

Las bellas palabras de su discurso me hicieron un nudo en la garganta. Él, indignado, seguía declamando:

—¿Acaso no me calienta y enfría el mismo invierno y verano que al resto de los animales? Si me pincháis, ¿no sangro? Si me hacéis cosquillas, ¿no me río? Si me envenenáis, ¿no moriré?

Una gran emoción me embargó. Noté las lágrimas resbalando por mi hocico, cuando de repente, un pensamiento me vino a la cabeza.

—¡Un momento! —grité—. Ornitro… ronitro…

—Ornitorrinco, parece mentira, Rino, que todavía no te lo hayasss aprendido.

—Eso, orti… bueno, eso. Si eres inocente, demuéstralo. ¡Trepa a mi espalda, rápido!

—¿Trepar? Yo no sé trepar, soy muy torpe en la superficie, me arrastro con dificultad.

—**¡CARAMBA!** Eso no es extraño, Rino, ya ves…, es torpe como tú —apuntó Paco.

—Ya hablaremos tú y yo, Paco… Ahora vamos a lo que nos ocupa… Eso es lo que necesitaba saber, que no sabías trepar.

—¿Ehhh? ¿Cóoomo? ¿Por qué dice eso? —un mar de preguntas brotó de las gradas.

—El bote de pintura se lanzó desde un árbol; tuvo que hacerlo un animal trepador.

—¿Y el crissstal y lasss avissspass?

—No había huellas, porque fueron borradas…, o porque el que lo hizo no tiene manos.

—¿Un animal sin manos? —se preguntaban todos desconcertados.

—¿Y las escamas de Sibilina? ¿Quién le ha estropeado la piel?

Busqué con la mirada a Sibilina, pero había desaparecido. ¿Era ella la culpable? Un animal sin manos y trepador. Por más que miramos no encontramos a otro. Había sido ella. Pero ¿por qué?

—¿Que por qué? ¡Es normal! ¡Le encanta ser mala! —gritó el escorpión, riéndose con una mueca maligna.

—¡Vaya razón! ¿Ser mala por placer? No puedo creerlo.

Suspendí la asamblea. Pero primero pensé que era justo pedirle disculpas en público al nuevo inquilino. Y lo hicimos, dándole la bienvenida con un gran aplauso. Le llovieron las invitaciones de amistad.

Vi cómo caía por su pico de pato una lágrima oscura, mientras gruñía. Sin duda, el animal era **RARO**.

Con la emoción, apenas si pudo decirnos:

—Gracias ahora por vuestra acogida. Por mi parte todo olvidado. Con vuestra amistad, el zoo ya no me parece un lugar odioso —terminó, haciendo un puchero.

Como siempre, los gritos de alegría de todos los animales llenaron la noche.

Nos fuimos retirando a nuestras casas.

Todos menos yo, que tenía todavía una visita pendiente.

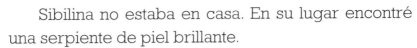

Sibilina no estaba en casa. En su lugar encontré una serpiente de piel brillante.

—¿Has visto a Sibilina? —le pregunté.

—Ssssí. Ha huido, esstá avergonzada. No volverá.

—¿Te ha dicho por qué ha acusado al ornito…?

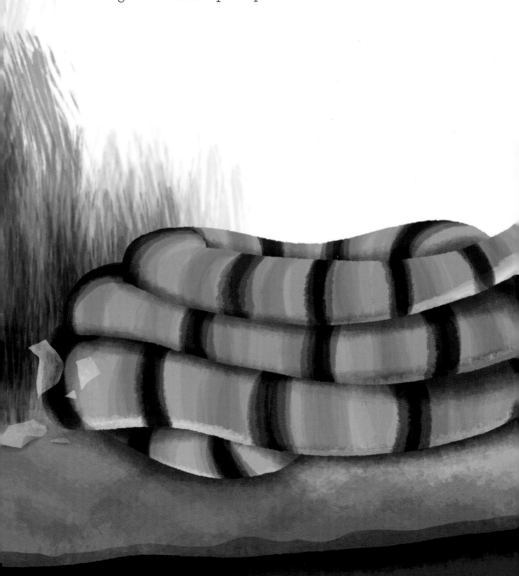

—Bueno, eso está claro, ¿no? Han plantado la casa del ornitorrinco enfrente. Nos han quitado las vistas. Hoy son las visstas, mañana serán otras cosas. Vendrán mássss y másss ornitorrincossss u otrosss animalesss de fuera y nosss quitarán todo.

—Hummm, ¿eso te dijo? Un poco egoísta, ¿no? Bueno, si vuelve, avísame, por favor.

—Ssssíííí, seguro que sssíí.

Y dijo la última frase con un acento y unas «eses» silbantes que me recordaban mucho mucho a Sibi... ¿No eran las serpientes las que mudan la piel? Humm..., muy sospechoso...

Me distrajo de mis pensamientos ver al **«EXTRAÑO»**, descansando enfrente sobre una piedra. Me acerqué a verlo.

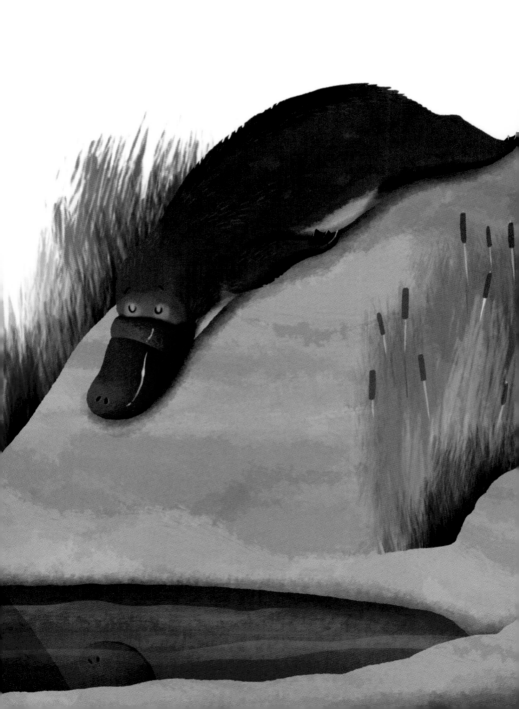

—Me ha encantado tu discurso —le dije.

—No es mío.

—¿No?

—No. Lo leí en una obra de **TEATRO**.

—¿Te gusta leer?

—Me encanta.

—Vaya, un lector… ornitorrinco.

—¡Hey! Lo dijiste de una vez.

—Claro, no es tan difícil. Todo era una estrategia, para poner nerviosa a Sibilina. Una táctica detectivesca para «precipitar los acontecimientos».

—Jajajaja, me gusta esa frase: «precipitar los acontecimientos».

—Me parece, querido ornitorrinco, que este es el comienzo de una bella amistad.

—Llámame Orni.

—Llámame Rino.

RINOCERONTE

¿Sabes que puedo llegar a medir
cuatro metros de largo y dos metros
de alto?
Y peso más de tres toneladas.
Soy herbívoro…, es decir, solo como
hierbas.
En las patas delanteras tengo tres dedos. ¿Me ves torpe?
Pero si ¡puedo llegar a correr a 45 kilómetros por hora!
Mi vista no es demasiado buena, pero tengo muy buen
olfato y muy buen oído.
Me embadurno de lodo para protegerme del sol.
Mi piel es muy gruesa. Por más que quieren picarme los
mosquitos e insectos, ¡no pueden conmigo!
Los rinocerontes de Sumatra y África tenemos dos
cuernos y los de Java y la India, solo un cuerno. Sí, los
cuernos nos dan un aire magnífico… ¡Son la envidia de
muchos!

PAPAGAYO

Soy un pájaro muy bromista, me gusta
repetir las palabras que dices.
Puedo llegar a alcanzar un vocabulario
de más de 50 palabras.
Me llaman también loro.
¿Dónde vivo? En las zonas tropicales; en
general donde hace calorcito.
Estoy en peligro de extinción. ¡Cuídame!
Tengo un plumaje de vivos colores y una larga cola.
Me alimento de semillas y frutos. ¿Una cáscara dura?
Con mi fuerte pico curvo y grueso no tendré problema.
Soy capaz de volar hasta 50 kilómetros sin parar.

COBRA

Como todas las serpientes, no tengo
ni brazos ni piernas. ¿Cómo me
desplazo? ¡Reptando! Pruébalo,
essssss muy divertido.
Mi cuerpo es alargado, con
escamas, y puede llegar a los cinco metros.
No me molestes ni me asustes, te puedo morder con
mis colmillos e inyectarte veneno, y tendrás que correr
a por un antídoto. Pero, cuando me siento amenazada,
siempre aviso antes ensanchando la caperuza en torno a
mi cabeza.
Mi oído y mi vista no son muy buenos, pero mi lengua
bífida, dividida en dos en la punta, me ayuda a oler.
Mudo la piel cada varios meses, toda de una vez. Así
quedo de nuevo brillante y guapa… ¿A que sssssssí?
Para comer, desencajo la mandíbula y engullo a mi
víctima enterita, ¡y sin sal! Mi digestión puede durar
hasta messssssses.

ORNITORRINCO

Soy pequeño. No crezco más de
sesenta centímetros y no peso
más de 2,5 kilos, o sea como,
por ejemplo…, un conejo.
Soy semiacuático, mamífero y, sí, pongo huevos… ¿Te
parezco raro? Pues además tengo la cola plana como
un castor, mi pico es como el de un pato y las patas son
palmeadas, como las de una nutria.
Camino como un reptil, pero tengo garras. Y gruño.
¡Ah!, y busco la comida en el fondo del agua. ¡Soy un
gran buceador! Me encantan los gusanos, insectos y

crustáceos, y para pescar con el pico no necesito
ni abrir los ojos, porque me guío por mi espléndido
olfato.

Pongo huevos: de eso se encargan las hembras, que
excavan una madriguera en la tierra. Los incuban
quince días y, cuando salen las crías, las alimentan
con la leche que escurre por la piel del vientre de la
madre. En eso también somos un poco especiales,
porque somos mamíferos sin ubres.

¿Que dónde vivo? En Australia, un continente lleno
de animales un poco especiales…, aunque hay quien
dice que los más raros somos nosotros. ¡Será por ese
nombre tan raro que nos han puesto! OR NI TO RRIN
CO, ¡qué difícil de pronunciar!